LO QUE QUED

Texto original completo con introducción biográfica, prólogo y notas.
© Carmen Martín Gaite
© Ediciones Destino 1960
© 1987 por ASCHEHOUG A/S (Egmont)
ISBN 87-11-07561-9

Impreso en Dinamarca por
Sangill Grafisk Produktion, Holme Olstrup

CARMEN MARTÍN GAITE

LO QUE QUEDA ENTERRADO

Edición a cargo de:
Berta Pallares

Ilustraciones: Per Illum

YORK ST. JOHN
COLLEGE LIBRARY

CARMEN MARTÍN GAITE
(Salamanca 1925)

Licienciada y doctora en Filosofía y Letras es una de las escritoras actuales de pluma más fina. Se dio a conocer en 1954 cuando obtuvo el Premio Café Gijón por su relato *El Balneario* (1955) y en 1958 se consagró como novelista al obtener el Premio Nadal por su novela *Entre visillos* (1958), cuadro de la vida de una ciudad de provincias. Esta ciudad es Salamanca, aunque no se nombre, pero podría ser otra ciudad de provincias del mismo corte.

Desde su primera novela hasta hoy ha seguido escribiendo lenta pero constantemente y siempre en una prosa exquisita y depurada, que hace que si bien su obra no es muy extensa sí sea muy valiosa. En cada uno de sus libros siempre ofrece una prosa renovada y con un sello propio. En 1968 quedó finalista del Premio Biblioteca Breve y en 1978 obtuvo el Premio Nacional de Literatura por su novela *El cuarto de atrás.*

La obra de Carmen Martín Gaite es de carácter intimista pero bien anclada en la realidad española y los personajes de sus obras aunque parten de sí mismos o de una crisis personal reflejan la crisis del tiempo en que les ha tocado vivir; es en concreto la España contemporánea. Queda siempre bien clara la opresión que la sociedad ejerce sobre el individuo que, en su debatirse, tiene a veces un marcado tono existencial, una andadura que, sin tragedia aparente, es agónica. Esto se nos hace ver a través de una prosa de perfección formal extraordinaria.

Ritmo lento (1963) es el título de su segunda novela y podría servir, en cierto modo, como lema de toda su obra ya que Carmen Martín Gaite como novelista tiene un tono interior y contemplativo de ricos matices. Esto no quiere decir que deje de lado la observación de ritmos acelerados.

Sus personajes, quizá también como su creadora, saben «habitar la soledad», pero a la vez están bien conscientes de su entorno ya sea mediante la observación ya sea mediante el análisis. La dedicatoria de su libro *Usos amorosos del dieciocho en España* (1972) es: «Para Rafael, que me enseñó a habitar la soledad y a no ser una señora».

Muchos de los personajes de la obra de C. Martín Gaite, saben habitar su soledad. Otros no. La soledad tiene muchos aspectos, muchos rincones. Es cómoda e incómoda. A veces es una soledad en compañía, otras una soledad acompañada, otras una soledad-sola. Algunos aspectos de estas soledades están en el precio que pagan los personajes de sus obras por su rebeldía, por no dejarse modelar por un ambiente estrecho y mezquino.

Carmen M. Gaite con su fina sensibilidad se acerca siempre al personaje desde la orilla profundamente humana y sabe ver los problemas del ser humano tanto en el ámbito individual como en el social; en el fondo se trata de dos aspectos del mismo problema. No importa que se trate de un entorno de vida estrecha, anodina o vulgar o que se trate de mundos interiores en los que C. Martín Gaite se mueve con paso seguro.

El relato que ofrecemos hoy muestra bien claro todo esto. La bien lograda doble dimensión del adentro y del afuera es una, de entre otras muchas, muestra de originalidad. Todo ello en un lenguaje rico y cuidado de siempre excelente prosa.

A Carmen M. Gaite le preocupan no sólo los problemas del individuo y del medio en el que le ha tocado vivir, sino también otros de naturaleza al parecer más abstracta pero que forman parte de su quehacer diario. A este grupo pertenece el problema de la creación literaria. Esto se refleja tanto en *El cuarto de atrás* como en *El cuento de nunca acabar (1974-1982)* (1983).

En *El cuarto de atrás* la autora en una noche de insomnio recibe la visita de un desconocido vestido de negro. No es fácil identificar a este desconocido que, siendo aparentemente un señor que va a hacer una entrevista, no se parece en nada a un entrevistador. Mantienen un diálogo rico en matices, en recuerdos que la autora va desgranando. Van apareciendo ayeres y todo ese rico mundo interior que, deslizándose sutilmente, está siempre en las novelas de C. Martín Gaite. Pero de entre todo sobresale y llega a predominar lo que se refiere a la preocupación por la creación literaria, el sueño, el amor, la melancolía.

Es significativo que su último libro, *El cuento de nunca acabar,* lleva como subtítulo: *Apuntes sobre la narración, el amor y la mentira.* En su *Justificación del título* la autora escribe: «Las cosas de que voy a tratar en este cuento, ensayo o lo que vaya a ser, y que se refieren, en definitiva, a la esencia y las motivaciones del decir, el contar y el inventar, me vienen preocupando desde hace tanto tiempo e interesando con tanta asiduidad que no sólo soy incapaz de fechar mis primeras reflexiones conscientes al respecto, sino que, dadas las múltiples adherencias que cría un tema tan rico, puedo afirmar que nunca en mi vida me he detenido con verdadera complacencia a pensar en otra cosa.» (pág. 17).

Al lado de la pura creación literaria se ha interesado por la historia: *El proceso de Maca-*

naz (1970) es el título de su tesis doctoral. A este grupo pertenece el anteriomente citado *Usos amorosos del XVIII en España.* Colabora en diversas revistas y ha escrito en colaboración, el guión para la película sobre Santa Teresa de Jesús (1515-1582) que se ha hecho con motivo de las celebraciones dentro del 4° centenario de su muerte.

Otras obras de Carmen Martín Gaite: *Las ataduras* (1960), *Retahílas* (1974), *Fragmentos de interior* (1976).

LO QUE QUEDA ENTERRADO

El relato que ofrecemos hoy ilustra todo lo que acabo de señalar. Apareció en el volumen de relatos *Las ataduras* (Edit. Destino, Barcelona, 1960, Primera edición págs. 119-145). Fue recogido en la *Antología de cuentista españoles contemporáneos* de García Pavón, Madrid 1966 págs. 284-301 y ha sido recogido en la edición de *Cuentos completos* de 1978 y posteriores publicada por Alianza Editorial. Está en las páginas 53-72. En el relato que da título al libro un abuelo, el abuelo Santiago, está hablando con su nieta, Alina. El diálogo es éste:

«– Abuelo, dice papá que yo no me case, siempre me está diciendo eso. ¿Será verdad que no me voy a casar? ¿Tú qué dices?

– Claro que te casarás.

– Pues él dice que yo he nacido para estar libre.

– Nunca está uno libre; el que no está atado a algo, no vive. Y tu padre lo sabe. Quiere ser él tu atadura, eso es lo que pasa, pero no lo conseguirá.

– Sí lo consigue. Yo le quiero más que a nadie.

– Pero no es eso, Alina. Con él puedes romper, y romperás. Las verdaderas ataduras son las que uno escoge, las que se busca y se pone uno solo, pudiendo no tenerlas.»

En esta línea es en la que creo que hay que interpretar la frase de la protagonista de *Lo que queda enterrado* cuando dice: «En el tren, ya de vuelta, me volvió la atadura de Madrid, la preocupación por Lorenzo, y me parecía, al contrario de lo que me pareció al ir hacia allá, que el tren andaba despacísimo.» (pág. 49).

El relato está en el universo de esta atadura. Y en él destaca el sabio manejo del tiempo. En las obras de Carmen Martín Gaite es normal el aparecer del tiempo presente alternando con el pasado y definiendo claramente la estructura de la obra o del relato como es el caso de *Lo que queda enterrado*. Este pasado puede ser un pasado inmediato, un pasado próximo o un pasado remoto. Este empleo del tiempo da a las obras de C. M. Gaite una nueva dimensión, enriquecedora. Esto es normal ya que cada ser humano es su hoy y su ayer. Lo que hace interesantes estos «hoy», estos «ayer» en la obra de Carmen Martín Gaite es su perfecta fusión.

María y Lorenzo están casados. Se quieren. Lorenzo es profesor en una Academia; se prepara para hacer unas oposiciones o prepara a otros para ellas. En todo caso trabaja demasiado. (Ver pág. 29). Está triste. Agobiado. No sabemos muy bien por qué. Pero atraviesa una época mala ya que en otros momentos no ha sido así.

«Nos habíamos reído tantas veces de los matrimonios de los chistes» dice María (pág. 18). María se siente sola, abandonada, llena de miedos. Los dos están bajo la presión de la muerte reciente de la niña. Su hija. La pareja vive en Madrid que es donde se desarrolla el relato. Hay una ligera escapada de María a Cercedilla, un pueblo de la Sierra madrileña, un pueblo de cercanías y lugar de veraneo.

La niña «se había muerto en enero» (pág. 15). El presente del relato es el verano de «aquel mismo año» (pág. 15), al empezar los calores. María está embarazada. El relato se está contando desde el presente de María, que es posterior al tiempo del relato.

Desde ese presente (hoy) del comienzo de la narración María recuerda un día y varios días de aquel verano (ayer). Por eso todo el relato está en imperfecto que es el tiempo de la narración. Pero en ese pasado hay también un presente y ese presente dentro del pasado es el tiempo del relato, en el que se despliega el contenido: una época en el pasado, el cada día de un verano difícil para una pareja joven en la que el marido trabaja mucho y la mujer se siente sola y perdida. Ambos están evidentemente marcados por la pérdida de la niña y tienen miedo «procurábamos cambiar de tema, y pienso que era por miedo.» (pág. 19). Este miedo a hablar de lo que ha ocurrido con la niña les tiene condicionados: «Era terrible, disparatado lo que había ocurrido, y ella, con sus adobos, lo hacía más siniestro todavía.» (pág. 20). El dolor y el miedo por la pérdida de la niña se actualiza y se hace realidad ante el nuevo embarazo. Esto se ve sobre todo en el diálogo final entre María y Lorenzo.

Como es habitual en la obra de C. Martín Gaite, al lado del problema personal siempre profundamente analizado, se perfila el social. Lorenzo refleja la problemática de muchos intelectuales de la España de los años 50-60. El licenciado que tiene que trabajar demasiado, la necesidad de enseñar en una Academia en la que el profesorado está mal pagado sean las que sean sus capacidades y calificaciones o la durísima preparación y el trabajo que suponía el presentarse a unas oposiciones. Se insinúa solamente lo que es bien conocido: el trabajo en esas academias donde van a prepararse para los exámenes de septiembre muchos de los alumnos del bachillerato que han sido suspendidos en junio y donde se imparten multitud de enseñanzas. Se perfila también la barriada, esas nuevas barriadas en construcción de los años 50, de construcción barata y un poco triste. Se perfila la vida de una burguesía que se ha rehecho o se ha hecho en la postguerra, a partir de 1939, con una economía acaso no muy boyante pero que le permite salir de vacaciones un mes, escapando del calor madrileño del verano y yendo a la costa o a la sierra. Es una burguesía con una mentalidad acomodaticia y sin problemas y está representada por la hermana de María y por su mundo.

María una tarde de modorra de ese mal verano tiene un sueño y ese sueño es un paso atrás en el pasado, en el recuerdo, esto es, el pasado remoto. También los mundos del sueño son manejados sabiamente por Carmen M. Gaite. En ese sueño (pág. 23) aparece Ramón y planea el recuerdo de la guerra civil española (1936-39). Carmen M. Gaite tenía 14 años al terminar la guerra y su adolescencia y juventud se desarrollan en la dura y larga postguerra española.

Al despertar de ese sueño son las 9 de la noche, María ha dormido más de lo que había creído, no ha ido a buscar a Lorenzo como era habitual y se ha hecho tarde. Bajan a tomar un bocadillo pero María está bajo el influjo del sueño que ha removido los recuerdos. Es lo que le hace formular su deseo de ir a Zamora y a Salamanca lugares del recuerdo (pasado remoto) y ciudades de la infancia y adolescencia de Carmen Martín Gaite. Ciudades que ama y conoce bien. De la mano del sueño ha surgido el recuerdo que se hace presente al formular ante Lorenzo el deseo de viajar con él a estos lugares. Pero Lorenzo no comparte, no puede compartir, este pasado que no conoce y en el que no ha vivido y María se siente sola.

Esta sensación de soledad y el insomnio la llevan a aprovechar una mañana de domingo para hacer una escapada a un pueblecito de la Sierra, con la idea de regresar antes de que Lorenzo despierte. Va a la estación de Norte y toma uno de los trenes de cercanías con idea de salirse del tiempo: «¡Dios, pasarme un rato echada entre los pinos, no acordarme de nadie ni de nada, salirme del tiempo!» (pág. 41). Baja en Cercedilla y en realidad logra salirse del tiempo, pues el día se le ha pasado muy rápido. En el pasado del relato aparece así el presente del día pasado en Cercedilla (pág. 44). Son las 11 de la noche cuando llega de nuevo a Madrid y la angustia que le había empezado al llegar a Madrid y al pensar en la de Lorenzo se hace irresistible y dolorosa al verle esperándola en la calle. De repente comprende toda la angustia que él ha pasado: su día de miedos, de preocupación por la suerte de ella, de angustiosa incertidumbre, pero siente un sutil placer ante esta angustia, no tanto por la angustia en sí como porque esa angustia es prueba de que no está tan sola como ella cree. El diálogo entre ambos, de vuelta a casa, y la situación marca el presente de «este verano» oscuro y difícil, pero deja la puerta abierta a un después cuando nazca el niño. Ese después será de otra manera diferente a «aquel verano».

Así pues, el relato ofrece en los diferentes planos temporales toda la riqueza interior de análisis de las situaciones y la información sobre el contèxto y la realidad de los personajes. Los puntos centrales de ese tiempo son: el *presente* en un hoy «es muy curioso que no consiga recordar...» (pág. 15) desde el que se pasa al *pasado* «aquel verano» (pág. 19); ese *pasado se hace presente* «no se sabe qué hacer contigo . . .» (pág. 19). En ese presente (del pasado) aparece un *pasado remoto,* el del sueño,« . . . y soñé con Ramón. Yo iba . . .» (pág. 23). Dentro de este pasado remoto está también el mundo del recuerdo provocado por el sueño, y que no es el sueño,

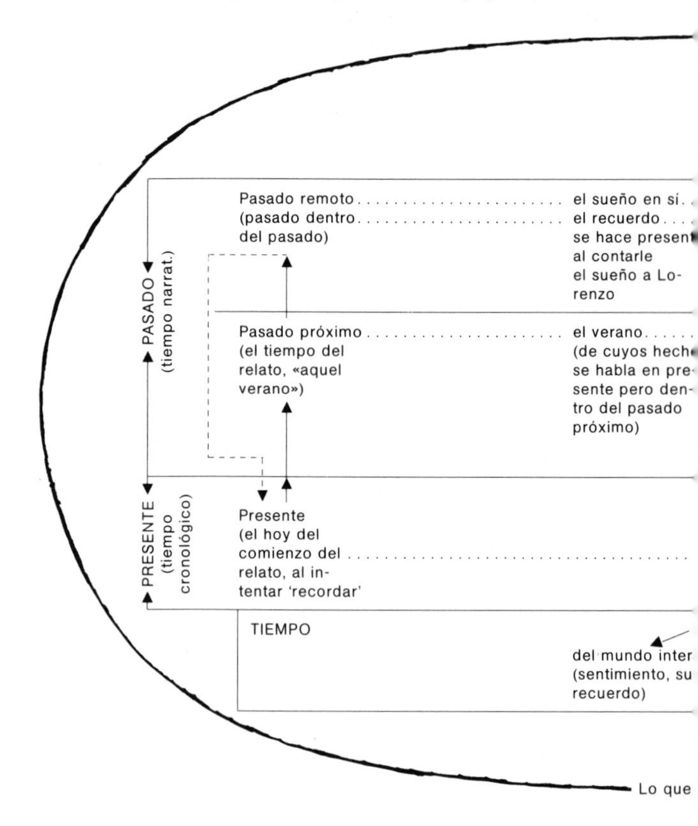

mundo del recuerdo contado desde el presente (del relato) al hablar María con Lorenzo y contarle del sueño y formular el deseo de ir a Zamora con él, «enseñarte los sitios que más quiero». No vamos a saber si los sitios que más quiere forman parte de lo que queda enterrado. En el pasado del relato el día de viaje a Cercedilla: «Hice todo el viaje asomada a la ventanilla» hay algunas escapadas al presente: en el diálogo con el joven veraneante.

El relato termina en un presente (del pasado). Uno se pregunta al terminar de leerlo si lo que queda enterrado, queda enterrado definitivamente o si va a volver a aparecer. Carmen M. Gaite fecha este cuento así: «Madrid, octubre 1958».

El universo del relato podría representarse así:

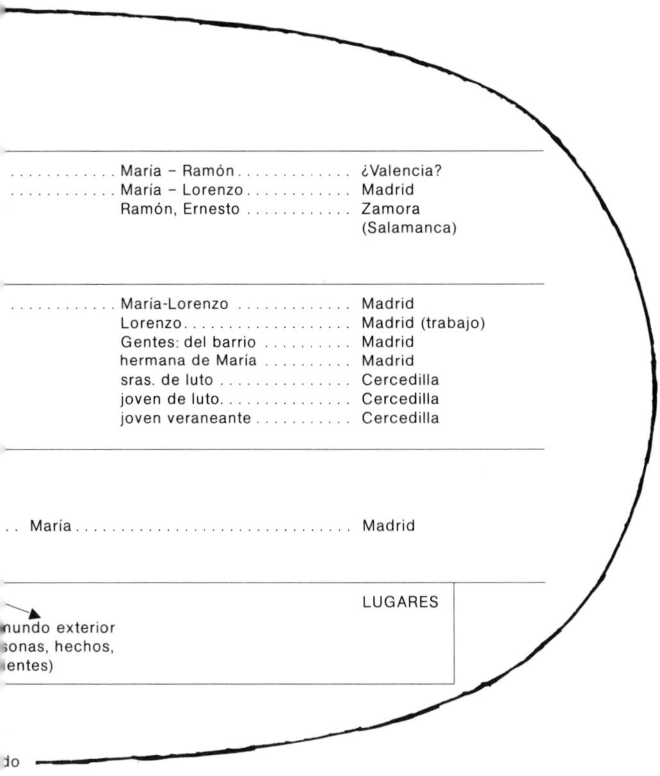

....	María – Ramón	¿Valencia?
....	María – Lorenzo	Madrid
	Ramón, Ernesto	Zamora (Salamanca)
....	María-Lorenzo	Madrid
	Lorenzo	Madrid (trabajo)
	Gentes: del barrio	Madrid
	hermana de María	Madrid
	sras. de luto	Cercedilla
	joven de luto..............	Cercedilla
	joven veraneante	Cercedilla
.. María		Madrid
nundo exterior sonas, hechos, ientes)		LUGARES

do

La niña se había muerto en enero. Aquel mismo año, al empezar los calores, reñíamos. Siempre estábamos hablando de nervios, de los míos sobre todo, y era un término tan inconcreto que me excitaba más.

– Estás nerviosa – decía Lorenzo –. Cada día estás más nerviosa. *Date cuenta,* mujer.

A veces se marchaba a la calle; otras se sentaba junto a mí y me pasaba la mano por el pelo. Me dejaba llorar un rato. Pero el malestar casi nunca desaparecía.

Es muy curioso que no consiga recordar, por mucho que me esfuerce, ni uno solo de los argumentos que se trataban en aquellas discusiones interminables. Tan vacías eran, tan *inertes.* En cambio puedo reconstruir perfectamente algunas de nuestras actitudes o posturas, el dibujo que hacía la *persiana* en el techo.

También discutíamos en la calle. Principalmente en la terraza de un bar que estaba cerca de casa, donde yo solía ir a sentarme para esperarle, cuando salía de su última clase. Venía cansado y casi nunca tenía ganas

---

darse cuenta, aquí, pensar en ello
inerte, que no se mueve. Aquí, sin interés. *Inercia,* falta de movimiento exterior o interior

de hablar. Fumaba. Mirábamos la gente. La calle, anocheciendo, tenía en esos primeros días de verano un significado especial. Miraba yo la luz de las ventanas abiertas, las letras de la farmacia, los *bultos* oscuros de
5 la mujeres alineadas en sillas al borde de la acera, de cara a sus porterías *respectivas,* y seguía los *esguinces*

---

bultos, aquí, cuerpos a los que no se ve distintamente a causa de la oscuridad
respectiva, la de cada una
esguince, aquí, movimiento rápido

que hacían los niños correteando por delante de ellas, por detrás, alrededor. Pasaban pocos coches por aquel *trecho* y había siempre muchos niños jugando. *Arrancaban* a correr, cruzaban la calle entre risas. También a ratos descansaban junto a las delgadas *acacias* del paseo, con las cabezas juntas, inclinadas a mirar 5

---

trecho, trozo
arrancar a + verbo (infinitivo), empezar a hacer lo que indica el verbo
acacia, una clase de árbol, ver ilustración en pág. 18

minúsculos objetos que se enseñaban unos a otros. Me parecía que los conocía a todos y sabía sus nombres, que había estado en sus casas. A veces *me daba por imaginar,* no sé por qué, lo que harían con ellos si viniese una guerra; dónde los esconderían. Chillaban, parecían multiplicarse. Lorenzo abría el periódico, y yo, de cuando en cuando, le *echaba un vistazo* a los titulares. «Una *barriada* de 400 viviendas.» «*Peregrinación* juvenil.» No lo podía soportar. Detrás de un silencio así, sin motivo estallaba la riña. No le podía decir que me *irritaba* que leyese el periódico. Nos habíamos reído tantas veces de los matrimonios de los *chistes.* Me empezaba a quejar de soledad, de cualquier cosa, yo no recuerdo. Todo lo mezclaba: iba formando un *alud* confuso con mis palabras y bajo él me sentía aplastada e indefensa.

---

me daba por imaginar, aquí, me ponía a imaginar
echar un vistazo, mirar sin detenerse demasiado en lo que se mira
barriada, parte de un *barrio* = cada una de las partes de una ciudad o de un pueblo
peregrinación, viaje que se hace a un lugar, por lo general por motivos religiosos
irritar, aquí, sentir ira
chiste, dicho que tiene gracia
alud, aquí en sentido figurado; el *alud* es la masa de nieve que cae de los montes con violencia y estrépito (= ruido muy fuerte)

– No se sabe qué hacer contigo, mujer, qué palabra decirte – se dolía Lorenzo –. Contrólate, por Dios. No hay derecho a ser así, como tú eres ahora, a estarte compadeciendo y analizando durante todo el día. Lee, busca un quehacer, no sé ... No puedes estar viviendo *en función* de mí; tú tienes tu vida propia. Te la estás deshaciendo y *amargando*.

De la niña no habíamos vuelto a hablar nunca, ni hablábamos tampoco del nuevo *embarazo*. A veces me preguntaba él: «¿Qué tal te encuentras hoy?», y yo le contestaba que muy bien – porque, en realidad, de salud estaba muy bien –; pero no decíamos nada más ni él ni yo, procurábamos cambiar de tema, y pienso que era por miedo.

Lorenzo tenía mucho trabajo aquel verano. Se había quedado más delgado.

– Yo no me puedo cuidar de ti – me decía –. Ya sabes todo el trabajo que tengo. Pero vete a ver a tu hermana. O llámala más. No estés siempre sola.

A mi hermana no me gustaba llamarla. Se eternizaba al teléfono, se ponía a darme consejos de todas clases. Después de su cuarto hijo se había convertido en un ser completamente pasivo y *rutinario*, cargado de sentido común, *irradiando* experiencia. No me daba

---

en función, aquí, en relación con, sin la propia libertad
amargar aquí, figurado: haciéndose la vida amarga (= no dulce = no fácil) y difícil
embarazo, situación de estar embarazada = esperar un hijo la mujer
rutinario, que obra con rutina (= haciendo siempre lo mismo y de la misma manera), sin cambio
irradiar aquí, figurado: despidiendo, haciendo salir de ella experiencia, como el sol despide rayos de sí mismo

la menor compañía y evitaba verla. Ella, que creía entender siempre todo, *achacaba* mi *despego* a la desgracia reciente, de la que hablaba con una *volubilidad* de mujer optimista.

5 – Te cansarás de tener hijos – decía –. Te pasará lo que a mí. Y a aquélla la tendrás siempre en el cielo rezando por sus hermanos. Un ángel, velando por la familia.

Y este sentido egoísta de querer sacar provecho y 10 consuelo de lo más oscuro era precisamente la cosa que más me rebelaba. Era terrible, disparatado, lo que había ocurrido, y ella, con sus *adobos,* lo hacía más siniestro todavía.

Sin embargo, y a pesar de *no tener* ningún *objeto,* 15 algunas tardes, durante la hora de la siesta, la *inercia* de otras veces me condenaba a telefonear a mi hermana, la pura indecisión que me llevaba de una habitación a otra. Le explicaba, por ejemplo, la pereza que me estaba dando de empezar a meter la ropa de 20 invierno en naftalina; y ella *corroboraba* y *alentaba* mi *apatía,* manifestando una *pasmosa* solidaridad con mis sensaciones. No sabíamos si emplear los sacos de

---

achacar, atribuir, aquí, considerar que es la causa
despego, falta de *apego* = interés o cariño
volubilidad, capacidad para cambiar rápidamente de tema o de modo de obrar o pensar
adobo, aquí, figurado arreglos, explicaciones
no tener objeto, aquí, hacer algo sin esperar una solución
inercia, falta de interés o energía para hacer una cosa
corroborar, dar fuerza a lo que dice alguien
alentar, dar aliento (= ánimo) aquí, apoyar
apatía, falta de energía y de ganas de hacer algo
pasmosa, que causa pasmo (= admiración)

papel o comprar otros de plástico. Los del año anterior se habían roto un poco.

– Lo peor es cepillarlo todo, chica. Eso es lo peor. Tenerlo que sacar para que se airee. Yo llevo tres días
5 intentando *ponerme con* ello, y no encuentro un momento bueno.

– Lo mismo que yo. Igualito.

– Si quieres que vaya a ayudarte una de estas mañanas . . .

10 Pero yo *daba largas,* ponía un pretexto. Cuando colgaba el teléfono, después de hablar con mi hermana, tenía la lengua *pastosa* como si fuera a vomitar, y me aburrían el doble que antes los problemas de la polilla y *similares,* en los cuales me había mostrado absoluta-
15 mente de acuerdo con ella y respaldada por su testimonio.

A partir de las cinco empezaban a oirse los golpes de los albañiles que trabajaban en la casa de al lado. Solamente después de estos golpes – eran como una
20 extraña señal – conseguía dormirme algunas veces, y ellos me espantaban el miedo cuando lo tenía. Me entraban unos miedos irracionales y *furibundos,* mucho más que de noche. Me parecía que la niña no se había muerto, que estaba guardada en el armario del
25 cuarto de la plancha, donde crecía *a escondidas,* amari-

---

ponerse con ello, empezar a hacerlo
dar largas, retardar el momento de hacer algo o de resolver un asunto. Dejarlo para después
pastosa, somo seca y con una sensación desagradable
similares, semejantes
furibundo, que muestra *furia* (rabia, ira) aquí, figurado terrible
a escondidas, sin que nadie la viera

llenta, y que iba a salir a mi encuentro por el pasillo con las uñas *despegadas*. Eran lo peor, las siestas. Pasaba todo el tiempo decidiendo pequeños quehaceres que inmediatamente se me hacían *borrosos* e inútiles, tumbándome en la cama y volviéndome a levantar, empezando libros distintos, dejando *resbalar* los ojos por las paredes y los muebles. 5

Una de estas tardes, inesperadamente, fue cuando me quedé dormida y soñé con Ramón.

Yo iba deprisa por una calle muy larga, llena de gente, y le *vislumbré*, en la acera del otro lado, medio escondido en un grupo que corría. Llevaba la barba de varios días, el pelo revuelto, y eran sus ropas descuidadas y grandes como si se las hubiese quitado a otra persona. Pero le reconocí. Se separó de los demás y quedamos uno enfrente del otro, con la *calzada* en medio, por la cual no *circulaban* coches, y sí, en cambio, muchas personas apresuradas y *gesticulantes*. A través de los *claros* que dejaban estas personas nos miramos un rato fijamente, los dos muy quietos, como para asegurarnos, y él parecía una estatua con los ojos de cristal. La gente empezó a *aglomerarse* y correr gritando, como si huyeran de algún peligro y retrocedí a apoyarme en la pared para que no me arrastraran con 10 15 20

---

despegada, aquí, separada de la carne
borroso, no claro
resbalar, aquí, pasar los ojos despacio
vislumbrar, aquí, verle de una manera no clara y distinta
calzada, el centro de la calle entre dos aceras
circular, aquí, pasar
gesticulante, que hace muchos gestos al hablar
claros, aquí, lugar libre, no ocupado por nadie
aglomerarse, juntarse

ellos. Durante un rato muy largo tuve miedo de que me aplastaran. «¿Se habrá ido?» – pensaba entre tanto, sin moverme, porque no me lo dejaban ver –. Pero cuando todo quedó solitario, él estaba todavía
5 enfrente y se había hecho de noche. Estaban encendidos unos faroles altos de luz verdosa. Cruzó despacio por la calzada. Acababa de pasar una gran guerra, una gran destrucción: había *cascos* rotos y trozos de *alambradas* y *metralla*. Llegó a mi lado y dijo: «Por fin te
10 vuelvo a ver.» Y era como si aquella guerra desconocida de la que había restos en la calle hubiera servido para que nosotros volviéramos a vernos. No le pregunté nada. Me cogió del brazo y *echamos* a andar. Se

metralla, lo que sirve para *cargar* (= llenar) algunas piezas de artillería (= máquinas de guerra) y pueden ser trozos de hierro o clavos
echar a + verbo, empezar a hacer lo que el verbo indica

oían canciones que venían del final de la calle, y me dijo él que allí había un puerto con barcos *anclados,* a punto de *zarpar.* «Vamos deprisa, no se nos vaya a escapar el último» – *apremió* –. Íbamos, pues, hacia aquel puerto, los dos juntos, en línea recta, sin ninguna vacilación. Sonaban nuestros pasos en la calle. 5

De pronto ocurrió algo extraño. Fue, tal vez, un *crujido* en el suelo de la habitación. Yo seguía con los ojos

---

anclado, sujeto con el *ancla* de manera que no pueda moverse, ver ilustración pág. 26
zarpar, recoger (levar) anclas un barco y marcharse de donde está anclado
apremiar, dar prisa
crujido, ruido que, a veces, hacen los muebles o el suelo

cerrados, pero supe que estaba soñando. Las pisadas perdieron *consistencia,* todo iba a desaparecer. Sin embargo me quise comportar como si no supiera nada. «Dime dónde has estado estos años. Dime
5 dónde vives» – le pedí con prisa a Ramón, apretándome fuertemente contra su costado –. Y todavía le veía, le sentía conmigo. Dijo algo que no entendí. La calle se estrechaba tanto que por algunos sitios rozábamos las paredes, y ya no había faroles. La noche era
10 absolutamente oscura. Delante de nuestros ojos, igual que asomadas al *sumidero* de un *embudo,* temblaban en

pequeños *racimos* las luces de aquel puerto desconocido, que en vez de acercarse se alejaban. «Si nos da tiempo de llegar a lo iluminado – pensaba yo con un
15 deseo ardiente –, entonces todo será verdad. Allí hay gente. Seguro. Nos perderemos entre la gente.» Pero la calle era muy larga. Y tan irreal. Ya no había calle

---

consistencia, fuerza, aquí, como sin ruido
sumidero, lugar por donde se *sume* (= meterse debajo de tierra) el agua. Aquí en sentido figurado: salir por el tubo del *embudo*
racimo, figurado, grupos o conjuntos de luces agrupadas

siquiera. Solamente *chispas* de colores dentro de mis ojos aún cerrados; Ramón nada. Me moví. La almohada estaba húmeda debajo de mi nuca. Una mano me tocó la frente. El aliento de Lorenzo.

– Dormilona. ¿Sabes qué hora es? 5

Cualquier hora. No sabía. Sólo pensaba que se había ido el último barco.

– ¿Hace mucho rato que estás ahí? – le pregunté, a mi vez, sin abrir todavía los ojos.

– Nada. Acabo de entrar. No sabía si despertarte. 10 Pero son las nueve, guapa. No vas a dormir a la noche.

Me incorporé. Me froté los ojos. Estaba dada la luz del pasillo.

– ¿Las nueve? Entonces, ¿no he ido a buscarte?

– No, claro – se reía –. Vaya *modorra* que tienes, hija. 15

– ¿Me has estado esperando?

Le miré, por fin, en el momento en que avanzaba para levantar la persiana. Entró un *piar* de *vencejos,* una claridad última de día.

– Ni siquiera he bajado a comprar cosas para la 20 cena. No sé qué me ha pasado – me disculpé.

chispa, parte pequeña de algo que salta del fuego y que mantiene la luz corto tiempo
modorra, sueño muy pesado; aquí: somnolencia (= pesadez y torpeza de los sentidos motivadas por el sueño)
piar, el ruido de la voz de los pájaros, aquí los *vencejos*

– Bueno, *qué más da*. Bajamos a comer un bocadillo.

Me fui a lavar la cara. El sueño no se me *despegaba* de encima. No era un peso todavía, era una luz. Me movía dentro de aquella luz, en la *estela* que el sueño 5 había dejado.

– ¿Tienes dinero?

– No. Coge tú.

Bajamos la escalera. Era un sábado y los bares estaban llenos de gente. Miramos dos o tres desde la 10 puerta, y a Lorenzo ninguno le gustaba. Por fin decidió quedarse con el más incómodo y *aglomerado*.

– Total, para un bocadillo – dijo.

Yo no decía nada. Nos sentamos. Había muchos novios comiendo *gambas a la plancha*, mirándose a los 15 ojos cuando se rozaban los dedos al limpiarse en la servilleta. Me empezó a entrar el malestar.

– Estás dormida todavía. ¿Por qué no te tomas primero un café?

– Bueno.

20 – Y eso que no, porque te va a quitar el sueño.

– Claro, es verdad.

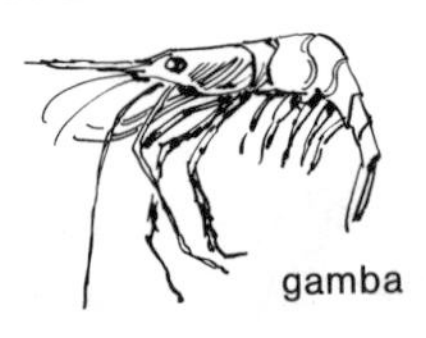

---

qué más da, no importa, es lo mismo
despegarse, separarse
estela, la señal que deja tras sí un cuerpo que se mueve en el agua. Aquí, figurado
aglomerado, lleno de gente
gambas a la plancha, comida que se hace con *gambas* a las que se le añade ajo y sal y se cuecen a fuego vivo durante unos diez minutos; se sirve muy caliente

– Pero, ¿qué te pasa?

El camarero estaba parado delante de nosotros.

– Nada, no me pasa nada. Voy a tomar lo que tomes tú.

Pedimos dos bocadillos con cerveza y estuvimos en silencio hasta que nos los trajeron. Me acuerdo del trabajo que me costaba masticar y que no era capaz de apartar los ojos de un punto fijo de la calle. 5

– Oye – dije por fin a Lorenzo –: ¿sabes lo que me gustaría? Volver a *Zamora*. Pero contigo. ¿No te gustaría? 10

Él no contestó directamente. Se puso a decir que ya se había enterado seguro de que le era imposible tomarse ni tres días de vacaciones por la preparación intensiva de la *academia*. Tenía una voz átona y se pasaba la mano por los ojos. Había dejado las gafas sobre la mesa, junto al bocadillo, aún sin empezar. 15

– Estoy más cansado – dijo.

– Pero come, hombre.

– Ahora comeré. Lo siento por ti, lo de no poder ir unos días a algún sitio. Por ti lo siento más que por mí; me lo puedes creer. ¿Por qué no te vas tú donde vaya tu hermana? ¿O no *salen* ellos? 20

– No sé nada. Pero si, además, da igual.

Lorenzo se puso a comer. Sólo después de un rato se 25

Zamora, ciudad de España. Ver mapa en pág. 58.
academia, lugar donde se enseña. En la época del relato eran centros de carácter privado en los que se llevaban a cabo diversos tipos de enseñanza
salir, aquí se refiere a la frase «salir de veraneo» con la que se indica que la gente se va, sale, de Madrid en busca de lugares más frescos, la sierra o la playa

acordó de mi *sugerencia* del principio. Se me quedó mirando.

– Oye, ¿qué decías tú de Zamora? Algo has dicho.

– Nada, me estaba acordando, no sé por qué, de lo
5 bien que se estaba allí, en el río. Me gustaría que fuéramos juntos alguna vez para enseñarte los sitios que más quiero. Hay un parque pequeño al lado de la *Catedral*..., ¡qué cosa es aquel parque, si vieras!

– A lo mejor ahora, después de los años, ya no te
10 gustaba.

– A lo mejor. Pero tú ¿no tienes curiosidad por conocerlo? Eso es lo que me extraña, con tanto como te hablo siempre.

En el rostro de Lorenzo no se reflejaba la menor
15 emoción.

– A ti te gusta Zamora porque has pasado un tiempo allí – dijo con la misma voz sin matices –, pero no tiene sentido que yo intente compartir esos recuerdos y nunca me los podría *incorporar*. En cuanto a

---

sugerencia, idea que se *sugiere* de *sugerir,* hacer entrar en el ánimo de otro una idea (aquí: la de viajar juntos a Zamora)
incorporar, aquí: hacerlos míos, sentir que forman parte de mi vida

Zamora en sí misma, no creo que tenga gran interés. Ya sabes que a mí me angustian las pequeñas ciudades muertas.

Nos pusimos a discutir sobre si Zamora era o no una ciudad muerta, y hasta qué punto era lícito aplicarle este concepto de muerte a las ciudades. Yo me acordaba de los muchachos que bajaban en *bicicleta* a las *choperas,* de la huerta de tía Luisa, de las Navidades cuando esperábamos con emoción la vuelta de los amigos que habían ido a estudiar a *Salamanca,* a la Universidad. Ramón se quedó allí todo un verano después de conocerme, casi sin dinero, sin escribir a sus padres. Decía que Zamora era la ciudad más alegre del mundo, y no se quería ir. Nos bañábamos en el *Duero*. Yo tenía diecisiete años. Nunca le volví a ver.

La discusión con Lorenzo, que ya se había iniciado floja, *languideció* completamente y, tras un silencio, volvimos a casa.

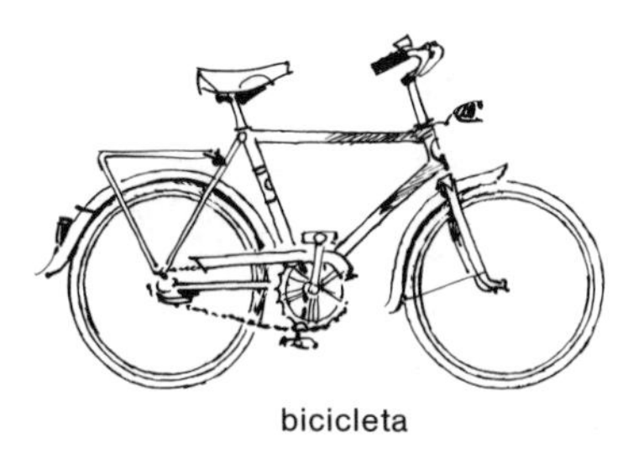

bicicleta

---

chopera, lugar donde hay chopos, un tipo de árbol (= álamo negro), aquí significa lugar con árboles a la orilla del río
Salamanca, ciudad de España muy célebre por sus monumentos y por su antigua Universidad, ver mapa en pág. 58
Duero, río importante que pasa por Zamora, ver mapa en pág. 58
languidecer, terminar poco a poco

Al llegar al portal vino el cartero con el correo. A mí nunca me escribe nadie, pero ese día tenía una carta sin remite, y traía mi nombre de soltera escrito a mano en una *caligrafía* que me parecía recordar. En el ascen-
5 sor, tanta era mi *zozobra* que no hacía más que

---

caligrafía, manera y arte de escribir, lo mismo que letra
zozobra, aquí, inquietud interior

apretar el sobre contra mi pecho, sin abrirlo.

– ¿Quién te escribe? – preguntó Lorenzo –. ¿Esperabas carta de alguien?

– No, de nadie – me apresuré a decir –; por eso me extraña. 5

Y en un acto de valor rasgué el sobre. Era una *cartu-*

---

cartulina, papel fuerte

lina de una modista mía antigua, anunciando que se había cambiado de domicilio. Me temblaban un poco los dedos al alargársela a Lorenzo que me estaba mirando.

5 Él se quiso acostar pronto aquella noche porque estaba cansado, y yo me quedé asomada al balcón. Vino a darme las buenas noches con el pijama puesto.

– ¿No te acuestas tú?

– Todavía no.

10 – ¿Vas a tardar mucho? yo es que *me caigo,* oye.

– Ya veré. Ahora no tengo sueño.

Abajo, en el bulevar, los novios tardíos venían, abrazados, del barrio de los *desmontes*. Traían un ritmo inconfundible, lentísimo.

15 – Bueno, entonces no te parece mal que me acueste.

– ¿Por qué, hombre? Claro que no.

– Pero tú lee un poco o haz algo, mujer. No te quedes ahí *pasmada* mirando, que luego te entran las melancolías.

20 – Bueno.

Se metió, después de haberme besado, y casi enseguida volvió. Me asusté un poco.

– Tonta, si soy yo. ¿Quién va a ser?

– No sé, nadie.

25 – Que digo, oye, que tú puedes ir a Zamora o a donde quieras. Lo estaba pensando. A lo mejor te gusta volver sola allí. Tendrás amigos.

Me tenía cogida por los hombros. El sueño *truncado,*

---

caerse de sueño, tener mucho sueño
desmonte, lugar donde se ha desmontado (= aplanado, de plano) el terreno
pasmada, familiar, sin moverse y como estando lejos y ausente
truncado, detenido antes de terminar

desde que había vuelto a casa, me estaba *asaltando* como una *basca;* lo tenía muerto en la entrada de la garganta. Me decidí a libertarme de él.

– No – dije con la voz más normal que supe –; no tengo ya amigos. Si además, fíjate, el recuerdo de Zamora me ha venido esta tarde por una tontería, por un sueño que he tenido en la siesta.

– Qué molestos son los sueños de la siesta – dijo Lorenzo –. Dejan un dolor de cabeza. A mí por eso no me gusta dormir siesta. Por la noche nunca sueño nada. Se descansa mejor.

Me iba a callar definitivamente, pero seguía necesitando decir el nombre de Ramón para que perdiera aquel *hechizo* absurdo. Necesitaba decirlo fuerte y casi con risa, como si tirara piedras contra un cristal.

– Pues yo hoy he soñado con un chico que conocí allí, en Zamora. Aquel tal Ramón, uno medio *chiflado* que me hacía versos, ¿no te acuerdas que te he contado cosas de él?

Lorenzo se dió una palmada en la cara y separó pegado en la mano un mosquito muerto. Sonreía.

– No sé – dijo –, no me acuerdo.

Y luego *bostezó.* Pero, al mirarme, debió de ver en mis ojos la ansiedad que tenía por oirle responder otra

---

asaltar, llegar cuando no se espera
basca, lo que se siente en el estómago cuando se va a vomitar
hechizo, aquí, figurado, cualquier medio por el que se desean conseguir resultados que están fuera de lo normal y natural aquí se refiere a la presencia de Ramón en el sueño que parece influir sobre ella de una manera que está sobre lo natural
chiflado, un poco loco
bostezar, abrírsele a alguien la boca por tener sueño o por estar cansado

cosa, porque rectificó, con un tono amable:

– Ah, sí mujer, ya me acuerdo de quién era ése. Uno que construía *cometas*.

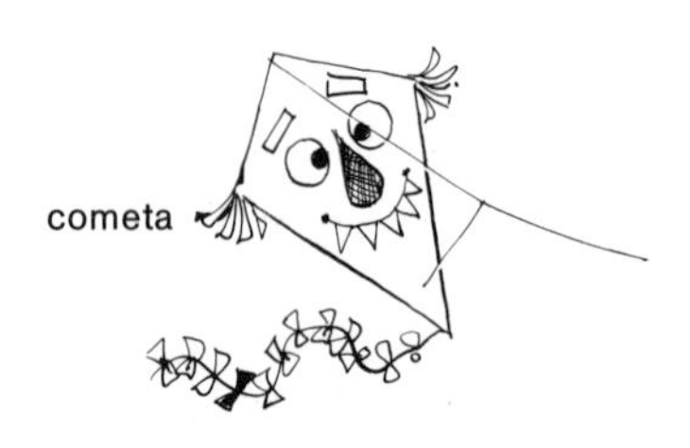

– ¿Cometas? Por Dios, si ése era el primo Ernesto; qué tendrá que ver. ¿Ves por lo que me da rabia contarte nunca nada? Lo oyes *como quien oye llover, estás en la luna*. De Ernesto te he hablado mil veces, ¿es posible que no te importe nada lo que te cuento? ¿Ves como es verdad lo que te decía ayer?...

Casi *estaba al borde de* las lágrimas.

– No empecemos, María – cortó Lorenzo con voz dura –. No tienes motivo de empezar a hacerte la víctima porque haya confundido a dos de tus amigos de la infancia a los que no conozco, y que carecen de importancia para mí, como comprenderás.

Hubo una pequeña pausa. Se había levantado algo de fresco. Yo miraba tercamente las luces del bulevar.

– Bueno, *mona*, me meto – dijo Lorenzo después,

---

como quien oye llover, frase que se emplea para indicar que una conversación o un asunto no le importa a alguien
estar en la luna, frase que se emplea para indicar que una persona no presta atención, o está distraída
estar al borde de algo, estar a punto de hacer lo que indica el verbo o el sustantivo que sigue, aquí, estar a punto de llorar
mona, familiar y cariñoso por guapa

esforzándose por volver a tener una voz dulce y atenta –, no me vaya a enfriar. ¿No te pones una chaqueta tú?

– No; no tengo frío.

– Pues buenas noches.

– Adiós. 5

Me quedé mucho rato asomada. Se empezó a quedar sola la calle. De vez en cuando alguien llamaba al sereno con palmadas, y él cruzaba de una acera a otra,

corriendo, con su blusón y su palo, entre los coches velocísimos. La luna, que *se incubó* roja detrás de un barrio barato en construcción, había subido a plantarse en lo alto, manchada, *difusa,* y parecía que, en el
5 esfuerzo por irse aclarando, se desangraba y hacía más *denso* el *vaho sofocante* que *empañaba* su brillo. Me sentía *desmoronar, diluir.* Igual que si la luna desprendiera un gas *corrosivo.* Pero no quería dejar de mirarla. De codos en su ventana, al otro lado del paseo, tam-
10 bién había una chica que alzaba sus ojos a la luna, y creo que me había descubierto a mí. En el interior de la habitación había luz, pero debía de estar sola. Estuvimos mucho tiempo; ella se metió primero y apagó. En el bulevar las *motos ametrallaban* con sus *escapes.*

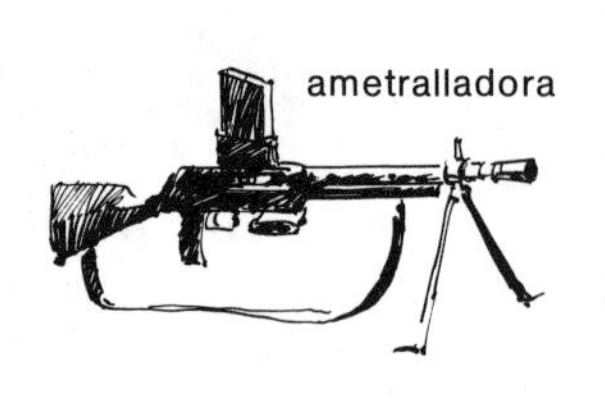

---

incubar, cubrir las aves los huevos y darles el calor de su cuerpo para que salgan los pollos. Aquí: salió
difusa, que no se ven claros ni su forma, ni su perfil
denso, pesado
vaho, vapor que despiden a veces los cuerpos
sofocante, que impide respirar
empañar, oscurecer, cubrir
desmoronarse, caerse una casa, aquí, figurado, deshacerse
diluir, deshacerse las partes de un cuerpo en un líquido (= disolverse), aquí, figurado
corrosivo, que *corroe* (= deshace lentamente)
ametrallar aquí, hacer un ruido semejante al de la *ametralladora*
escape, el tubo por donde sale el gas

Cuando me acosté eran casi las dos y sabía muy bien que no iba a dormir. No había hecho caso a Lorenzo; no había leído una línea ni había tenido un solo pensamiento organizado, constructivo. Me *debatía* encerrada en *vaguedades.*

Varias veces me levanté de mi cama a la de Lorenzo, que apenas se había movido cuando entré, y allí sentada sobre la alfombra de su lado, mirándole dormir, luchaba entre el deseo de despertarle y la certeza de que sería inútil para los dos. Le cogí, por fin, una mano; se la estuve besando, y él, sin despertarse, me acarició, la puso de soporte para mi cabeza. Solamente hizo un gesto de impaciencia cuando empezó a notarse el brazo mojado por mis lágrimas.

– Pero, mujer, ¿ya estamos?, ¿ya estamos?, ¿qué te ocurre, por favor? – repetía con una voz pastosa, de borracho.

Se volvió a dormir *de bruces* hacia la ventana.

Entonces me asaltó una furia especial, un deseo de salir, de rasgar, de librarme de todo. Me tumbé en la cama, boca arriba, con los ojos abiertos, y el recuerdo del sueño de la siesta me empezó a caer gota a gota potente y luminoso sin que intentara ahuyentarlo. Al principio era un gran *aliciente* intentar reconstruirlo, irle añadiendo fragmentos nuevos; y cerraba los ojos con la esperanza rabiosa de meterme otra vez por aquella calle de faroles a recobrar la compañía de mi

---

debatirse, estar en lucha sin encontrar salida
vaguedades, ideas vagas, sin firmeza y sin consistencia
de bruces, aquí, boca abajo y, y con la cabeza vuelta hacia el lado de la ventana.
aliciente, algo que lleva a hacer alguna cosa

amigo camino de aquel barco que escapaba. Pero lo que quería era llegar, seguir el sueño. A ratos, de tanto intentarlo, la calle reaparecía, me *colaba* por ella por no sé que *ranura,* y me volvía a ver del brazo de Ramón, pero todo estaba quieto, tenía una luz falsa de escenario. Solamente a la fuerza conseguía mover las figuras, que repetían exactamente el pequeño argumento y después se paraban como si no tuvieran más *cuerda.* Al final, las imágenes habían perdido todo polvillo de luz. Me *di por vencida.*

No sé cuántas veces me volví a levantar y a asomar al balcón. Contra la madrugada ya era incapaz de aguantar en casa, y había tomado mi decisión de salir en cuanto abrieran los portales. Me vestí sin que Lorenzo se despertara. Era domingo. Él no tenía prisa

---

colarse, pasar por un sitio estrecho y difícil como una *ranura,* abertura estrecha y larga que se hace en algún sitio
cuerda, mecanismo (aparato) que tienen algunos juguetes mediante el cual pueden moverse y que consiste en una cuerda que se tensa (= se estira mucho) mediante una llavecita
darse por vencido, aquí, dejar de reconstruir el sueño, dejar de luchar por conseguir algo

de levantarse; seguramente dormiría hasta mediodía. Podía yo, incluso, tomar un tren de los que salen temprano a cercanías y tal vez volver antes de que se

hubiera levantado él. ¡Dios, pasarme un rato echada entre los *pinos*, no acordarme de nadie ni de nada, 5 salirme del tiempo! Esta idea, que me vino ya en la

pino, ver ilustación en pág. 42

calle, después de haber *deambulado* sin *rumbo,* se *afianzó* en mí apenas nacida, y me llevó *en línea,* a la estación del *Norte* donde ya *bullía* alrededor de las ocho el hormiguero de las familias con niños y *fiambre-*
5 *ras,* que se agrupaban alborotadamente para coger los trenes primeros. Me dejé ir entre ellos. Algunos todavía tenían sueño y se sentaban un momento mirando al andén sin verlo, entre los bultos dispersos

---

deambular, andar sin *rumbo* (= camino que se piensa tomar, dirección en la que se piensa ir) fijo
afianzarse, hacerse firme
en línea, aquí, directamente
Norte, es el nombre de una de las estaciones de Madrid de la que salen los trenes de cercanías
bullir, moverse deprisa

mientras los otros cogían el billete. Presentaban un aspecto *contradictorio* con sus ojos adormilados bajo las *viseras*, los pañuelos de colorines.

Iba a ser un día de mucho calor. Todavía en el bar, junto a algunos de estos excursionistas, antes de tomar un tren que me iba a llevar no sabía dónde, y sin haberme decidido del todo, me acordaba de Lorenzo, de si no habría sido mejor avisarle por si acaso tardaba en volver; imaginaba su despertar sudoroso. Pero en cuanto me subí al tren y se puso en marcha, en cuanto me asomé a la ventanilla y me empezó a pegar el aire en la cara, se me borró todo pensamiento, me *desligué*.

Hice todo el viaje asomada a la ventanilla. Había tomado billete para el primer pueblecito donde el tren se detenía, pero seguí más allá. El *revisor* ya había pasado y me resultaba muy *excitante* continuar sin tener billete, desnuda de todo proyecto y *responsabilidad*. El tren corría alegremente. Algunos de los excursionistas habían empezado a cantar. Yo cerraba los ojos contra mi antebrazo. En un cierto momento, una

---

contradictorio, de contraste entre el sueño que todavía tienen y el aire de excursión y fiesta
desligarse, separarse, desatarse cuando se está ligado (= atado); aquí puede interpretarse como que no sentía la atadura
revisor, el hombre que revisa (= mira) los billetes de los que viajan
excitante, aquí, algo que le gusta mucho por lo nuevo
responsabilidad, obligación

señora me preguntó que si sabía cuánto faltaba para *Cercedilla*.

– No lo sé – contesté –, pero ya nos lo dirán.

– Ah, usted va también, a Cercedilla.

5 Y le contesté que sí, como podía haberle contestado que no. Pero de esta manera me sentí comprometida a *apearme* en ese sitio y no en otro, y de esta manera vine a pasar en Cercedilla aquel domingo de junio.

No me puedo explicar cómo se me pasó el día tan de 10 prisa. Por la mañana, encontré un pinar que me gustó y me adentré, *trepando* a lo más solitario. Desde allí veía los tejados de chalés y oía risas de personas que estaban lejos, más abajo. Me quedé dormida con un ruido de pájaros sobre la cabeza.

15 Desperté a las tres de la tarde y bajé al pueblo. *Vagamente* volví a pensar en Lorenzo, pero ya no tenía intención de volver hasta la noche. Estaba alegre y sentía una gran paz. Las calles del pueblo estaban casi desiertas; los que venían en el tren a pasar el domingo 20 habrían buscado, sin duda, para comerse sus *tortillas*, *rincones* apartados y sombríos que ya conocerían de otras veces. Pasé por una calle pequeña a la sombra de grandes árboles, donde daban las *traseras* de muchos

---

Cercedilla, pueblo que está muy cerca de Madrid y es lugar de veraneo por estar situado en la Sierra de Guadarrama (mapa en pág. 58)
apearse, bajarse, descender del tren
trepar, subir
vagamente, de forma no muy fija
tortilla, comida típicamente española que se hace con una mezcla de patatas fritas y huevo mezcla que se pasa por la sartén
rincones, aquí, lugares
trasera, la parte de atrás

jardines de chalés ricos. No se oía un ruido. No se veía a nadie. Sólo *chorreaba* una fuente. Me senté allí un rato, en una piedra que había, mirando asomar *madreselvas* por encima de una *verja* alta que tenía enfrente. Me gustaba estar allí. En *parajes* semejantes a éste había yo situado los cuentos de mi infancia. 5

Cuando me entró apetito eran más de las cuatro, y en los cafés del pueblo ya no daban comidas calientes. Pedí un bocadillo y un refresco en la terraza de un hotel de media categoría. En una mesa cercana había 10

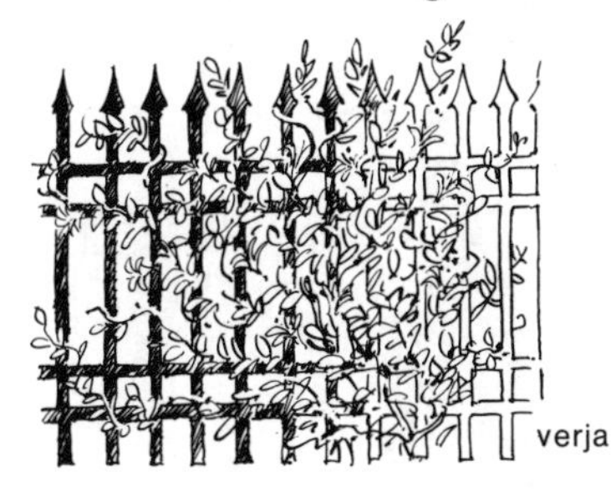

dos señoras y una chica como de diecisiete años, vestida de negro. Hablaban las señoras de la muerte del padre de la chica, hermano también de la más *sentenciosa* de ellas dos, mujer *refranera*. La otra escuchaba y suspiraba con mucha compasión, mientras que la 15 chica, de la cual hablaban como de un objeto, sin el menor cuidado de herirla, miraba a lo lejos con una mirada tristísima, las manos cruzadas sobre la falda

---

chorrear, dejar escapar el *chorro,* el agua que sale por el tubo de salida
parajes, lugares
sentenciosa que habla en forma de sentencias o *refranes* (= dicho, de forma fija, con el que se intenta enseñar algo)

HOTEL

negra, sin intervenir. Supe la situación económica tan *precaria* en que se había quedado y me enteré de vicios de su padre. Una vez se cruzaron sus ojos con los míos. Yo ya había acabado de comer y pensaba dar un largo paseo. No me hubiera importado llevármela de compañera aquella tarde, y me daba pena levantarme y dejarla con su tía y la otra, *condenada* a aquella conversación de recuerdos y reflexiones sobre el muerto. Más allá, junto a la *barandilla* que daba a la carretera, un chico de *pantalones vaqueros* ensayaba gestos de hombre interesante, delante de un libro que tenía abierto sobre la mesa. Pero no lo leía. Echaba bocanadas de humo, cruzaba las piernas y las descruzaba, y, sobre todo, me miraba sin cesar, primero disimuladamente, luego, ya *de plano*. Hasta que se levantó y vino a apoyarse en mi mesa.

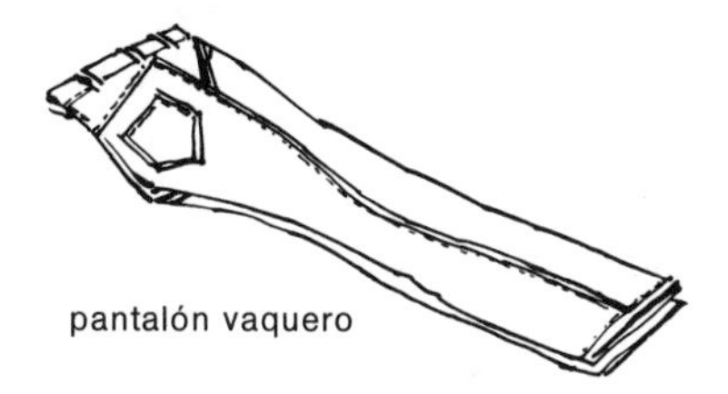
pantalón vaquero

– Oye – dijo con aire *desenvuelto* –. ¿Para qué vamos a andar con presentaciones? Yo vivo en este hotel y me aburro mucho. ¿Tú has venido a veranear aquí también?

---

precaria, aquí, pobre, que tiene poco dinero
condenada, aquí, obligada a escuchar
barandilla, verja que limita la terraza del hotel y la separa de la carretera
de plano, aquí, que miraba directamente, sin disimular
desenvuelto, sin miedo y con tranquilidad

– No. Estoy de paso.

Se rió. *Tenía pinta* de estudiante de *primero de carrera*.

– No lo digas tan seria, mujer. Sólo quería preguntarte *por las buenas* si te gusta estar sola o si prefieres que me pase yo la tarde contigo. Te puedo enseñar muchos sitios bonitos, porque ya estuve el año pasado.

La chica *de luto* nos miraba atentamente.

– Muchas gracias, pero prefiero estar sola.

– ¿Es rubio o moreno tu novio? – preguntó.

Yo me puse a mirar el vaso vacío de mi refresco, sin contestar nada. Y me divertía.

– Bueno, *tengo buen perder* – dijo separándose –. Pero me dejarás que te diga que eres muy guapa ¿no? Yo creo que eso no ofende a nadie.

Levanté los ojos con simpatía.

– A nadie. Muchas gracias.

Al poco rato me levanté para irme, y, al pasar al lado de su mesa, le sonreí como si fuéramos amigos. Era rubio, muy guapo, muy joven. Seguramente no había notado mi embarazo.

A partir de ese momento empezó a descender el día. Quiero decir que sentí cómo se *precipitaba* hacia su desembocadura. Di un paseo por una carretera que

---

tener pinta, familiar: aspecto, figura
primero de carrera, primer curso de los estudios (= carrera) universitarios. En España en estos años se empezaban los estudios universitarios a los 17 o 18 años. Las carreras duraban 5 años (menos la de medicina que eran 7). Al terminar la carrera se obtenía el título de licenciado
por las buenas, sin intención especial, simplemente
de luto, vestida de negro, color que en España se viste cuando se muere una persona de la familia
tener buen perder, saber perder sin enfadarse
precipitarse, ir muy deprisa y con cierta violencia

subía entre pinares, y llegué bastante lejos, hasta un *merendero* donde había muchos matrimonios. Allí me senté y vi cómo atardecía poco a poco; allí pregunté los horarios de los trenes que regresaban, y desde allí, ya casi de noche, salí para la estación. Los matrimonios habían merendado como fieras. *Sardinas* en *lata, chorizo,* tortilla y mucho vino. Estaban todos en *pandilla* y se daban bromas al final los maridos unos a otros, y también unos a las mujeres de los otros. Supe el nombre de todos, y me daban pena porque creían que se estaban divirtiendo muchísimo. De vez en

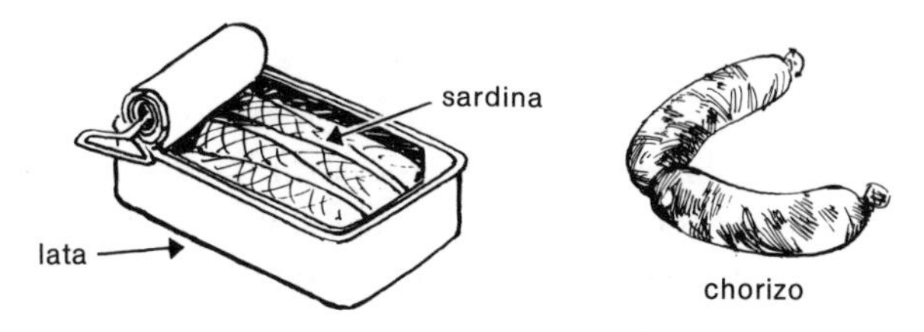

cuando me echaban una mirada entre curiosa y compasiva.

En el tren, ya de vuelta, me volvió la *atadura* de Madrid, la preocupación por Lorenzo, y me parecía, al contrario de lo que me pareció al ir hacia allá, que el tren andaba despacísimo. Iba lleno *hasta los topes,* y, a medida que nos acercábamos a Madrid, se notaba más el ahogo, el aire denso y quieto, aumentada esta

---

merendero, lugar, por lo general cercano al río, donde se merienda (de *merendar*), se come la *merienda,* comida normalmente pequeña que se hace a media tarde
pandilla, grupo
atadura, lo que ata y no deja libre. Para el concepto de *atadura* en este relato ver el prólogo (pág. 9)
hasta los topes, completamente lleno

sensación por las apreturas del pasillo y por el sudor de la gente que bebía en sus *botijos* y sus botellas, sin dejar de cantar.

botijo

Salí por los andenes con la *riada* de todos aquellos compañeros de domingo, y tomé el *Metro* con ellos. Ya eran casi las once cuando llegué a mi barrio, con un *nudo* de *desazón* en la garganta. En el primer *semáforo* que hay, camino de casa, esta angustia por Lorenzo se hacía tan irresistible que no podía esperar y puse el pie en la calzada antes de que se apagara la luz roja. Di dos pasos.

semáforo

---

riada, mucha gente, como un río de gente. Se emplea *riada* cuando el río lleva más agua de la normal
metro, tren subterráneo (que va por debajo de tierra), en una ciudad
nudo, aquí, figurado
desazón, intranquilidad, angustia

– ¡¡María!! – gritó una voz alterada, desde la otra acera –. ¡Ten cuidado!

Pasó una moto casi rozándome, y el ocupante volvió la cara para decirme no sé qué. Retrocedí, *aturdida*. Miré al otro lado de la calzada y vi a Lorenzo que me hacía gestos de susto y amenaza, señalándome la luz roja, que no se acababa de apagar. Sin duda había salido a esperarme a la esquina y desde allí me había descubierto. Estaba serio y no se había afeitado. Tenía los ojos hundidos, como los de Ramón, en el sueño.

– Estás loca – me dijo cuando llegué a su lado –, loca completamente. No sabes ni cruzar una calle. Luego quieres que me quede tranquilo contigo. No me puedo quedar nunca tranquilo ¿cómo quieres? Te pueden pasar mil cosas cuando vas sola, *atolondrada*. Te ha podido matar esa moto, no sabes cómo te ha pasado.

Hablaba *aceleradamente*, abrazándome. Luego se separó y nos pusimos a andar hacia casa. Yo no esperé a que me preguntara nada y empecé a contarle *de un tirón* todo lo del viaje a la sierra después de la noche de insomnio, cómo lo había decidido de repente por la mañana y pensaba haber vuelto a mediodía, pero que se me habían ido las horas volando, no sabía cómo.

– ¿Tú has estado preocupado por mí? – le pregunté con cierto *regodeo*.

Y entonces él se detuvo y nos miramos. Tenía los

---

aturdida, aquí, asustada, con miedo
atolondrada, se dice de la persona que no piensa antes de hacer una cosa
aceleradamente, muy deprisa
de un tirón, sin detenerse
regodeo, aquí cierto placer maligno (malo)

ojos *con cerco;* lo sabía yo cuánto habría llorado pensando lo peor, porque es pesimista; me imaginé, ahora de pronto, su tarde interminable, sus llamadas a casa de mi hermana. Si embargo, no *hizo alusión* a nada de
5 esto ni contestó a mi pregunta. Me *desasosegaba* sentir su mirada grave sobre mí.

– Di algo, por favor – le pedí.

– Que no eres seria, María, eso te digo – dijo tristemente –. Parece mentira que todavía no hayas apren-
10 dido a ser seria. Lo he pensado toda la tarde. Necesitas encender hogueras, dar saltos, hacer lo que sea para que uno *esté pendiente* de ti. No piensas más que en eso. Si no estuviéramos esperando un hijo te diría que no volvieras conmigo, si es que te has cansado de mi com-
15 pañía, como me parece. También esto lo he pensado muy seriamente esta tarde, porque me *agobia,* me desespera verte como te veo. Y no poder hacer nada por ti.

Le quise interrumpir con mis protestas, me apreté
20 contra él, pero seguía serio.

– Y, aún esperando un hijo, tú sabrás – continuó –; tú dirás si lo prefieres, a pesar de todo.

– Pero si prefiero ¿qué?, ¿irme? ¿Hablas en serio?

– Irte, sí. Aún, al hijo, no le hemos visto la cara ni
25 nos ata. Ni siquiera sabemos si va a nacer o no. Puedes tomar la decisión que quieras, y yo la tomo contigo, me hago solidario de ella desde ahora mismo. Se hará

---

30 *con cerco,* con una sombra profunda alrededor
hacer alusión, hablar sobre
desasosegar, producir inquietud (desasosiego)
estar pendiente, pensando siempre
agobiar, sentir *agobio* = pena y peso por algo

lo que tú digas. Pero que yo no tenga que volver a pasar una tarde como la de hoy.

– ¿Cómo puedes decir que no sabemos si va a nacer o no? – estallé –. ¿Por qué lo dices? Va a nacer, claro que lo sabemos. Tiene que nacer. ¿Tú por qué has 5 dicho eso? ¿Te ha pasado algo, has tenido algún sueño, alguna *corazonada?* Di, por Dios.

– Pero, mujer, qué bobadas dices, qué corazonada ni qué sueño voy a tener.

– ¿Entonces?

5 – Nada. Lo digo porque cabe en lo posible.

– Pues no lo digas, no lo puedo oir. Me pongo *mala* sólo de pensarlo.

Lorenzo me cogió por los hombros. Andábamos pequeños trechos y nos volvíamos a detener.

10 – Anda, calla, no seas *extremosa* – dijo –. Se debe poder decir todo. Lo que sea, va a pasar igual, diga yo lo que diga. Pero deja de llorar, ¿por qué lloras?

– Habías dicho que no querías que naciese, que no lo querías – decía yo *sollozando* contra su chaqueta –,

15 dijiste que no te hacía ilusión..., y por eso lloro, porque se te ve muy bien que no te hace ilusión.

– Pero la ilusión qué es, mujer. Parece mentira que todavía no sepas a lo que queda reducida la ilusión. Había dicho que no quería más hijos, pero ahora ya

20 eso, qué importa; háblame de cosas reales. Cuando lo vea lo aceptaré y lo querré, supongo. Y tendré miedo. Más que ahora todavía. Y procuraré que crezca, y esas cosas. Ilusión, ¿cómo la voy a tener?, ¿para qué?

– Para que yo me consuele. Para que no esté sola.

25 No me consuelas nunca tú; todo me lo dices *crudamente.*

---

corazonada (de corazón), presentimiento (= movimiento del ánimo que hace casi saber lo que va a pasar)
mala, aquí, enferma
extremosa, que todo lo pone en extremo, aquí, que exagera
sollozar, llorar
crudamente, de una manera dura

– Porque quiero que seas una mujer, que te hagas fuerte. La fuerza la tienes que buscar en ti misma, aprender tú sola a levantarte de las cosas. Si te consuelo y te compadezco y te contemplo, cada vez te vuelves más débil. Tienes que aceptar las cosas duras, cuando son duras, y no pedirme que te las haga yo ver de otro color más agradable, pero falso.

Yo ya no lloraba. Avanzamos un rato en silencio. Estábamos llegando a casa, y él me rodeaba con su brazo derecho.

– Lo que no sabía – dijo con dulzura – es que tú tuvieras tantas ganas de este hijo. ¿Tantas ganas tienes de verle, realmente?

– Me paré. Me ahogaba la emoción. Había esperado mucho esta pregunta.

– Lorenzo.

– Dime...

– Será un niño esta vez, ¿verdad que sí? ¿Tú qué dices? Yo ya parece que le estoy viendo la cara. Un niño, es un niño, estoy segura. Lo siento, eso se siente, de la otra vez no me equivoqué.

– Olvida la otra vez – dijo –. Qué más da lo que sea.

Nos estábamos mirando. Tropezamos con algo entre los pies.

– Señorita, haga el favor, no nos pise la casita.

Unas niñas del barrio habían pintado en el suelo con *tiza* varias habitaciones de una casa, y en algunas tenían cacharros y *flanes* de tierra. Nosotros nos habia-

---

tiza, sustancia blanca que se usa para escribir en los *encerados,* los niños la usan para escribir en las *pizarras,* ver ilustración en pág. 56
flan, dulce que se hace con huevos y leche

encerado

pizarra

mos metido en su casa y estábamos parados allí. Levantaban a nosotros sus ojos enfadados. Una estaba en la cocina, *agachada, machacando teja,* y cuando nos salimos vino detrás, andando con mucho
5 cuidado entre los tabiques estrechos para no pisar raya. Nos siguió hasta la puerta.

teja

– *Ris-ras* – hizo, cuando cerró. Y luego, a las otras –: Era el cartero. Dos cartas había. Tome.

Seguimos en silencio bordeando las terrazas de los
10 bares.

---

agachar, doblar mucho el cuerpo hacia el suelo encogiéndolo
machacar, deshacer dando golpes hasta hacer un polvo muy fino que recuerda el *pimentón,* polvo rojo que se usa en la cocina para algunas comidas y se saca de los *pimientos* rojos

pimiento rojo

ris-ras, onomatopeya, ruido que se piensa que hace la puerta al cerrarse

– ¿A ti te gusta más que sea una niña? – le pregunté a Lorenzo.

– Lo que sea, ya lo es – dijo él –, ya lo tienes ahí dentro. Yo quiero lo que sea, lo que es. No significa nada decir «quiero». 5

Pero yo continuaba, tercamente.

– Las niñas sufren más. Un niño, será un niño. Pablo, Marcos, Alfonso...

– No te *lances,* mujer. No vuelvas a lanzarte en el vacío. 10

– Bueno. Pero, si a ti te da igual, seguro que es un niño.

– Bueno, bueno. Lo que importa, mujer, es que se te pasen estos nervios que tienes ahora, y que tengas un *parto* bueno. Que mires por dónde vas. No pienses 15 ahora en nada de mañana. Ya vendrá. Vendrá todo lo que tenga que venir. Te tienes que cuidar este verano.

---

lanzarse, aquí, hablar sin base real
parto, momento de nacer el niño

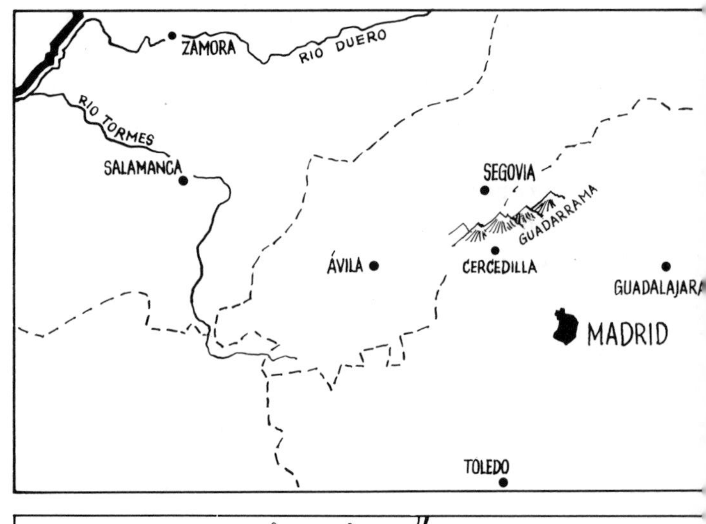
ZAMORA
RIO DUERO
RIO TORMES
SALAMANCA
SEGOVIA
GUADARRAMA
ÁVILA
CERCEDILLA
GUADALAJARA
MADRID
TOLEDO

OCÉANO ATLÁNTICO
FRANCIA
Santander
Bilbao
S. Sebastián
Pamplona
La Coruña
Oviedo
ASTURIAS
Lugo
CANTABRIA
P. VASCO
Vitoria
GALICIA
Pontevedra
León
NAVARRA
Orense
CASTILLA-LEÓN
Logroño
RIOJA
Huesca
Gerona
CATALUÑA
Palencia
Valladolid
Soria
Zaragoza
Lérida
Zamora
ARAGÓN
Barcelona
Tarragona
Salamanca
Segovia
PORTUGAL
Ávila
MADRID
Guadalajara
Teruel
BALEARES
MENORCA
Madrid
Toledo
Cuenca
Castellón de la Plana
P. VALENCIANO
Palma
Cáceres
CASTILLA-LA MANCHA
Valencia
IBIZA
MALLORCA
EXTREMADURA
CABRERA
Badajoz
Ciudad Real
Albacete
FORMENTERA
MURCIA
Alicante
Córdoba
Murcia
MAR MEDITERRÁNEO
Jaén
Sevilla
Huelva
Granada
ANDALUCÍA
Almería
Málaga
Cádiz
Gibraltar
CANARIAS
LA PALMA
LANZAROTE
TENERIFE
GRAN CANARIA
GOMERA
FUERTEVENTURA
HIERRO

Preguntas

I

1. Describa a los protagonistas.
2. ¿Cuál es el problema de María?
3. ¿Cuándo se murió la niña? ¿En qué época del año tiene lugar el cuento?
4. ¿Por qué está tan nerviosa María? ¿Por qué está tan cansado Lorenzo?
5. ¿Cómo se encuentra Lorenzo ante el estado de María?
6. ¿Qué relación tiene María con su hermana?
7. Compare el carácter de las dos hermanas.
8. ¿Cómo vive María sus recuerdos de infancia?
9. ¿Tiene razón María para sentirse sola?
10. ¿Cómo se manifiesta el miedo que los dos tienen?

II Sobre el sueño

1. Comente el sueño de María.
2. ¿A quién vio en el sueño? ¿Qué supone para ella Ramón?
3. ¿Qué hicieron los personajes en el sueño?
4. ¿Simboliza algo el barco?
5. ¿Por qué quiere María recuperar el sueño?

III Sobre la excursión

1. ¿Por qué se va María? ¿A dónde se va?
2. Comente el viaje y el ambiente de domingo.
3. ¿Cómo pasó el día en la Sierra? ¿Qué hizo? ¿A quién vio? ¿Con quién habló?
4. ¿Qué grupos sociales encuentra el lector ese domingo de excursión?
5. ¿Le hizo bien a María el día en la sierra?

IV Sobre la vuelta

1. ¿Qué sensación tiene María al volver a Madrid?
2. ¿Cuál es el estado de Lorenzo cuando se encuentran?
3. ¿Cuáles son los sentimientos mutuos?
4. ¿Qué situación plantea Lorenzo?
5. ¿Por qué sufre tanto Lorenzo?

V Consideración general

1. ¿Ha comprendido María el problema de Lorenzo?
2. ¿Cómo ha afectado la muerte de la niña a cada uno de ellos?
3. ¿Cómo se manifiesta el miedo ante el nuevo hijo en cada uno de ellos?
4. ¿Cuál es el trabajo de Lorenzo?
5. En el cuento se habla dos veces de la guerra. ¿Puede relacionar esto con la guerra civil española (1936-39)? La autora tenía 11 años cuando estalló la guerra en 1936 y tres más al terminar.
6. ¿Puede comentar la atmósfera especial del cuento?
7. ¿Le ha interesado? ¿Por qué?
8. ¿Qué es lo que queda enterrado?
9. ¿Cree usted que después de la crisis del día en que transcurre el cuento será todo más fácil?
10. ¿Cómo ve el futuro de la pareja con el nuevo hijo?